Kükenalarm auf dem Bauernhof

Eine Geschichte von U
mit Bildern von Irmtraut

Lesestufe 1

CARLSEN

Lena und die Küken

„Endlich Ferien!“, denkt Lena.

Das  klingelt.

„Die  sind da!“, brüllt Paul

in den Hörer und legt dann auf.

Paul ist Lenas Freund.

Paul wohnt auf einem .

Paul und Lena gehen zusammen

in die Schule.

Lena schnappt sich ihr 

und fährt damit zum  .

Sie wird von Paul schon

am  erwartet.

„Lass uns gleich nach

den  sehen!“, meint er.

Als Lena in den  kommt,

sieht sie die Küken sofort.

„Oh, wie niedlich!

Wie viele sind es denn?“, fragt sie.

„Zehn“, antwortet Paul.

Zehn flauschige gelbe 

kuscheln unter den 

ihrer Mutter.

Sie sitzen in einer Ecke des .

„Henriette, das hast du

sehr gut gemacht“, lobt Lena.

Der  Alfons beobachtet

stolz seine Kinderschar.

Lena kniet sich ins .

Sie nimmt ein  in die Hand.

Mit der anderen Hand

bedeckt sie das  .

So hat es keine Angst.

Sofort kuschelt es sich hinein

wie in ein Nest.

„Dich nenne ich Pieps“, sagt Lena.

Das  piepst zweimal.

Das heißt: Einverstanden!

Leserätsel

Wer ist Pieps? Male das richtige Bild an.

Was ist richtig? Kreuze an.

○ Paul ist Lenas Bruder.

○ Paul ist Lenas Freund.

○ Lena geht mit Paul zur Schule.

○ Lena geht in den Kindergarten.

○ Pieps ist die Schwester von Lena.

Amanda ist weg!

Paul schaut sich im

 um.

Da stimmt etwas nicht.

Er zählt die  .

„Ein  fehlt!

Amanda ist weg!“,

ruft er aufgeregt.

„Wie, weg?“, fragt Lena.

„Die Tür war doch zu!“

„Ich weiß auch nicht, wie“,

antwortet Paul.

„Aber Amanda ist

mal wieder ausgerissen.“

Amanda, das braune 

mit dem weißen Fleck

auf dem roten , liebt es,

Ausflüge zu machen.

„Wir müssen Amanda suchen“,

sagt Paul.

„Sie hat bestimmt  gelegt!“

Lena meint:

„Vielleicht hat sie sich

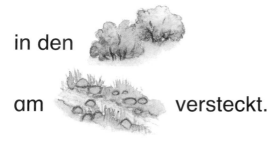

in den 

am 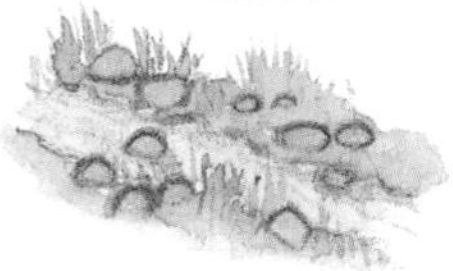 versteckt.

Los, lass uns nachsehen!“

Paul und Lena rennen los.

Sie müssen Amanda finden,

bevor sie dem  begegnet!

Sie suchen das Ufer am 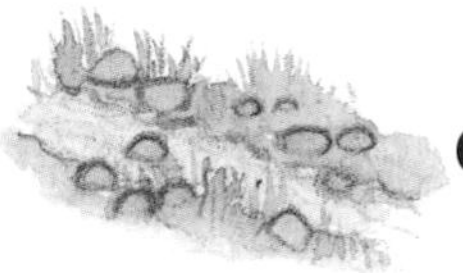 ab.

In jedem  sehen sie nach.

Aber keine  von Amanda.

Amanda ist schlau.

Wo kann sie nur sein?

Leserätsel

Was machen Lena und Paul?

Kreise den richtigen Satz ein.

✎ Lena und Paul spielen am Bach.

✎ Lena und Paul laufen um die Wette.

✎ Lena und Paul suchen Amanda,
die Henne.

✎ Lena und Paul bauen eine Höhle.

Findest du die zwölf Unterschiede?

Das Versteck

Auf der Suche nach dem 

klettert Lena

die  zum Heuboden hoch.

Die Leiter ist sehr lang.

Und die  ist alt.

„Vorsicht!“, sagt Paul.

Knarz, macht die erste Sprosse.

Knirsch, macht die zweite Sprosse.

Krach!, macht die dritte Sprosse

und bricht mittendurch.

„Hilfe!“, schreit Lena.

„Keine Panik!“, ruft Paul.

Er klettert auf eine große 

und zieht Lena zu sich herüber.

Dann klettern beide von dort aus

auf den Heuboden.

Paul und Lena plumpsen ins 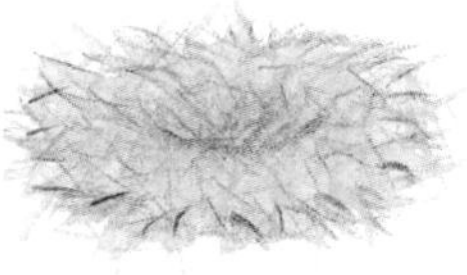 .

„Puh!“, schnauft Lena.

„Das war knapp!“

„Alles nur wegen Amanda!“, meint Paul.

„Piep, piep!“

„Was war das?“, fragt Lena.

Die Kinder durchwühlen

das 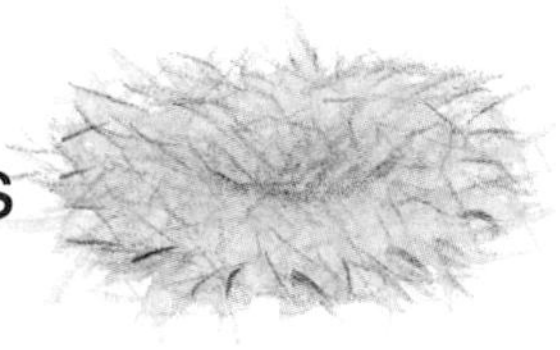 .

Aber keine  von Amanda.

„Was ist denn das?“, fragt Lena

und zeigt auf einen Kasten,

der oben unter dem  hängt.

„Das ist nur ein alter 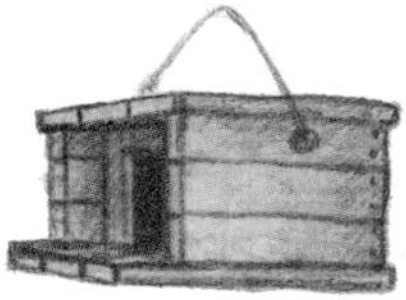

für eine  ", antwortet Paul.

Lena schleicht sich an

den 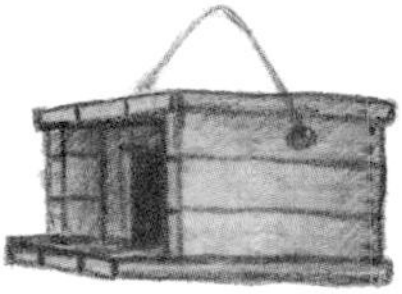 heran.

Ganz leise hebt sie

den Deckel an.

Dort sitzt Amanda und brütet!

 sind

schon aus dem 

geschlüpft!

Paul kommt dazu.

Er sieht, dass Amanda noch drei

 ausbrüten muss.

„Da steckst du also“, lacht Paul.

Er überlegt.

„Heute Nacht schlafen wir

besser hier bei den  “,

sagt Paul.

„Genau. Mit 

und  !“, sagt Lena.

„Aber ich will eine andere  haben!“

„Gut“, sagt Paul.

„Zur Feier des Tages

bekommen alle 

eine Extraportion Körner.“

„Und wir eine Packung 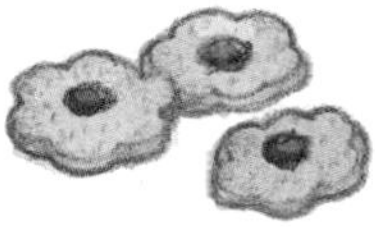 !“

Wortliste

Handy

Küken

Bauernhof

Fahrrad

Tor

Hühner

Hühnerstall

Federn

Hahn

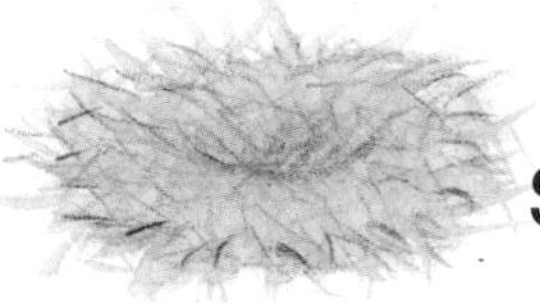

Stroh

Huhn

Kamm

Eier

Büsche

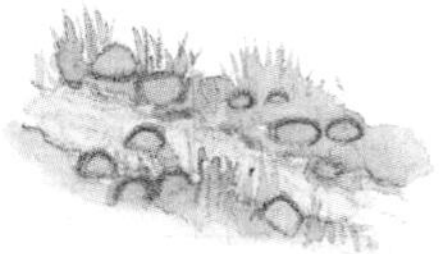

Bach

Fuchs

Busch

Spur

Leiter

Kiste

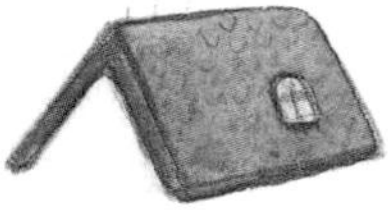

Dach

Eule

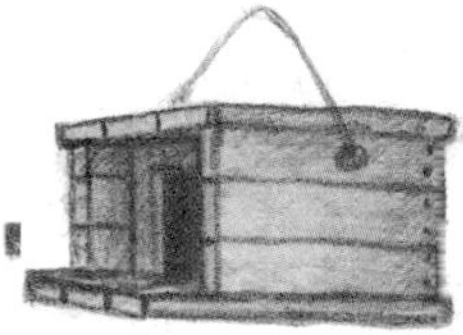

Nistkasten

Ei

Schlafsack

Taschenlampe

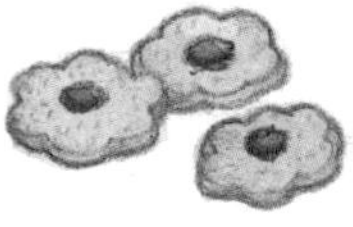

Kekse

Das Haushuhn

Hühner fressen Würmer, Körner und Insekten, die sie aus dem Erdboden scharren.

Männliche Hühner heißen Hahn, die weiblichen Henne.

Die Kinder der Hühner heißen Küken.

Haushühner können 2 kg schwer werden.

Hühner legen Eier. Wenn man dem Huhn das gelegte Ei wegnimmt, legt es jeden Tag wieder ein neues. Das Küken wächst im Ei heran. Die Henne setzt sich drauf und brütet drei Wochen lang. Dann befreit sich das Küken selbst aus der Eierschale. Schon ein paar Stunden später verlässt es sein Nest für immer und läuft mit seiner Mutter auf dem Hof herum.

Lösungen

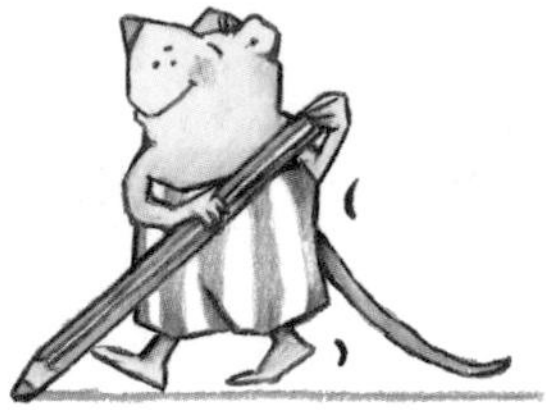

S. 6/7:

Pieps ist das Küken.
Paul ist Lenas Freund.
Lena geht mit Paul zur Schule.

S. 12/13:

Lena und Paul suchen Amanda.

1 2 3 06 05

Umschlagkonzeption und Illustration der Maus:
Hildegard Müller
Druck: Himmer, Augsburg
ISBN 13: 978-3-551-06304-5
ISBN 10: 3-551-06304-4
Printed in Germany